Ricordi di Sicilia

Grafici in copertina e all'interno a cura dell'autore

Terza ristampa 2005

ISBN 1 899293 3 02

Concetto La Malfa *è nato a Caltanissetta in Sicilia e vive a Dublino dal 1965. Laureato in Economia e Commercio, svolge da svariati anni la libera professione nella molteplice veste di giornalista, insegnante, artista, scrittore e cineasta. Quale giornalista egli è editore-fondatore di Italia Stampa, rivista bimestrale per italiani e amici dell'Italia in Irlanda, nonché collaboratore saltuario a testate italiane e irlandesi. Insegnante di lingua italiana di lunga esperienza, attualmente in servizio presso l'Adult Education Department di University College Dublin, egli si è già cimentato con successo nel campo letterario, pubblicando due volumetti di narrativa e poesia: "Ricordi di Sicilia--Cinque Racconi" (1988), "Sicilia nel cuore" (1991), nonché una commedia, "Stanze in famiglia" (1993) e un romanzo "Una macchia nel sole" (1993), con traduzione inglese (Edizioni Department of Italian, University College, Dublin) coi quali ha ottenuto quattro riconoscimenti letterari in Italia ed uno in Irlanda.*

Due suoi recenti lavori sono la trasformazione in commedia di due racconti, "Gioco di società" di Leonardo Sciascia, e "Seduta Spiritica" di Alberto Moravia, che egli stesso ha prodotto, diretto e filmato.

Indice

Oremus

Introibo ad altare Dei, ad Deum qui lætificat juventutem meam. Non avevo neanche dieci anni quando imparai a memoria frasi come queste. Nessuno me ne spiegò mai il significato, e per diversi anni non mi preoccupai di conoscerlo.
Ma per potere fare il chierichetto e avere l'onore, a quella tenera età, di servire la messa nella chiesetta della mia parrocchia, bisognava che le imparassi, così come bisognava che andassi alle lezioni di catechismo per prepararmi alla cresima.
Così, ogni sabato pomeriggio, andavo dai Padri Comino, i due fratelli preti che gestivano l'antica e cadente chiesetta della Misericordia nel quartiere dove ero nato e che era a due passi dalla mia casa. Lì, insieme ad altri ragazzini, passavo due o tre ore, tra gioco e studio, nell'appartamento dei due prelati. Per accedervi si salivano delle scale buie ed anguste, lungo le quali l'odore pungente di incenso misto a quello di cera mi incuteva, ricordo, non poca soggezione.
Giunti al piano di sopra, ci attendeva un apparato da sagrestia: qualche crocefisso, candelabri anneriti e rosi dal verderame, candele semiconsumate, vasi con fiori

appassiti, acquasantiere, paramenti sacri appesi alle pareti, calici, ostensori, ecc... Vicino alla finestra c'era un robusto tavolo in legno, il cui piano era costruito con tronchi d'albero piallati. Su di esso c'erano sempre residui di cera, perché i preti vi tagliavano le candele o le affilavano per incastrarle meglio nei candelabri.
Nessuno si azzardava a toccare gli oggetti in quella stanza, neppure Paolino, il più grandicello di noi ragazzi, aveva mai osato. Avevamo tutti un profondo rispetto per quegli oggetti sacri, tanto quanto ne avevamo per i due fratelli sacerdoti, Padre Michelino e Padre Francesco, due esseri così diversi tra loro, sia nel fisico che nel carattere. Alto e magro, Padre Michelino era un pio prelato che sprigionava bontà specialmente dagli occhi perennemente fuori dalle orbite, sui quali le palpebre scendevano come mezze lune. Parlava poco Padre Michelino: una lieve balbuzie gli impediva di esprimersi in maniera articolata, specialmente quando, alle lezioni di catechismo, si inquietava per la poca attenzione che alcuni di noi prestavamo al suo insegnamento. Ad eccezione di qualche sporadico scatto, che aveva l'effetto momentaneo di farlo sembrare burbero, figura di prete più pia di Padre Michelino non si sarebbe potuto trovare. Il fratello, Padre Francesco, era tutt'altra cosa. Più piccolo di statura e sempre rosso in viso, era di carattere focoso e battagliero e non ammetteva idiozie, nemmeno quelle ingenuamente commesse da noi ragazzini. Insofferente, forse, della sua posizione di prete che gli imponeva, volente o nolente, una carica di pazienza che lui sapeva di non possedere, Padre Francesco dava in escandescenze quando qualcosa non andava per il verso giusto ed

emetteva, da quel suo paio di polmoni poderosi, certi acuti che, a dir poco, rischiavano di rompere i timpani di chi lo ascoltava. Si sarebbe detto un carattere quasi cattivo, che con quello del fratello si accoppiava proprio come si accoppia il Diavolo con l'acqua santa. Indimenticabili quelle poche occasioni in cui i due fratelli avevano qualche battibecco, perché ancor prima che Padre Michelino, con voce fioca e in preda alla balbuzie, potesse finire una sola frase, Padre Francesco, rosso in viso, ne aveva già sventagliate almeno dieci.
Quando ciò accadeva in presenza di noi ragazzi,... per amor di Dio..., a stento riuscivamo a sopprimere in gola ogni tentativo di risata. Tutto sommato, però, nutrivamo un sacro rispetto per i nostri precettori. Tutt'e due, coi loro temperamenti così diversi, sembravano fondersi in un unico essere, che in sé racchiudeva tutto il bene e tutto il male, tutta la pazienza e tutta l'intolleranza, tutti i pregi e tutti i difetti: l'uomo. Il fatto che portassero una tunica nera e un colletto bianco inamidato era di secondaria importanza anche se, per noi ragazzi, era motivo di speculazioni e ci chiedevamo spesso se i preti, sotto l'abito nero, portassero o meno i calzoni.
Le lezioni di catechismo erano condotte, normalmente, dal pio Padre Michelino - Padre Francesco non ne avrebbe avuto la necessaria pazienza. Ricordo che, spesso, ambito premio per i più bravi, erano due o tre enormi ostie di forma irregolare, probabilmente gli scarti che rimanevano dopo il taglio di quelle più piccole e circolari che venivano consacrate e date in comunione.
Ricevere almeno una di quelle ostie era per noi una

soddisfazione indicibile, anche perché avevamo già visto con quanto misticismo, durante la messa domenicale, tanti adulti ne ricevevano di più piccole dalle mani del prete; se paragonavamo il diametro di queste con il diametro di quelle che ci venivano date in regalo, ci ritenevamo veramente degli eletti.
Finite le lezioni di catechismo che portarono al giorno della cresima, alcuni di noi continuammo ad andare dai Padri Comino. Dopo la cresima, la seconda fase: imparare a servire la messa. Attendevamo con trepidazione il momento in cui avremmo indossato la veste nera e la cotta bianca coi merletti ai bordi e, per avere il piacere di farlo, eravamo disposti ad imparare, come infatti facemmo, tutta la messa in latino. Quando tutti fummo bene addestrati, Padre Michelino fissò i turni: un chierichetto alla volta per la messa domenicale e per circa otto settimane consecutive.
Portammo a casa, entusiasmati, la notizia che avremmo finalmente servito la messa. Qualche giorno prima del mio 'debutto', avevo pregato una mia zia, che non aveva l'abitudine di uscire di casa, di venire ad assistere alla messa, così avrebbe potuto ammirarmi vestito da chierichetto. Dicono che quelli nati sotto il segno del leone, come me, abbiano bisogno di un pubblico per le loro prodezze. Non so fino a che punto ciò risponda a verità, fatto sta che all'età di poco meno di dieci anni, per quella mia prima grande recita, volevo che almeno uno dei miei parenti fosse presente, non tanto per appagare il mio 'io', quanto per attingere incoraggiamento e conforto.
Mia zia, dopo molta esitazione, dovette cedere alla mia insistenza e mi promise che quella domenica sarebbe

andata alla Misericordia, anche se per lei era un tragitto un po' più lungo del solito per andare a messa, poiché abitava nella parte opposta del paese. 'Anzi - mi disse - siederò in prima fila per vederti meglio.'
Mai l'alba di un giorno tardò tanto a venire come quella domenica. All'ora fissata, la chiesetta, che al massimo poteva contenere una quarantina di persone, era gremita di gente e, con mio grande sollievo, notai da dietro l'altare che mia zia, come mi aveva promesso, era proprio lì, seduta in prima fila.
Intanto Padre Michelino, che avrebbe celebrato la messa, indossava i suoi paramenti liturgici ed io mi apprestai ad indossare i miei. Mentre mi vestivo, sentivo il cuore in gola. Padre Michelino, che nella sua immensa saggezza aveva percepito la mia emozione, mi guardò, come era solito fare nei momenti più critici, con quei suoi occhi sporgenti semicoperti dalle palpebre a mezza luna, senza aprir bocca. Finalmente tutt'e due ci avviammo verso l'altare. Per me quell'ingresso fu come entrare in scena sul palcoscenico per il primo atto di una commedia.
La veste che indossavo, troppo larga e lunga per la mia statura smilza di ragazzino, me l'ero arrotolata e raccolta alla vita fissandola con un cordoncino a mo' di cintura.
Tutto procedeva a meraviglia. Ogni tanto sbirciavo mia zia, la quale sembrava soddisfatta e orgogliosa di veder il suo nipotino impegnato in un ruolo così importante. Giunto il momento di trasferire il messale dalla sinistra alla destra del prete, salii i due scalini dell'altare e, imbracciato il pesante messale, stavo per ridiscendere per portarmi all'altro lato dell'altare, passando alle

spalle del prete, quando, ohimè, inaspettatamente, si slacciò il cordoncino alla vita e, d'un botto, la pesante veste nera calò ai miei piedi. Trovandomi già con una gamba alzata per scendere il primo scalino, inciampai e, con un tuffo spettacolare, finii per terra a pancia in giù, occhi sbarrati e testa rivolta verso l'alto, sempre reggendo tra le braccia il messale. Come se ciò non bastasse, andai ad atterrare proprio davanti allo sguardo inorridito di mia zia, mentre la folla di fedeli irrompeva in un improvviso brusio di costernazione e al tempo stesso di risa soppresse.
In quello stesso istante Padre Michelino, braccia aperte, palme delle mani affacciate, si voltò a guardare, poi, rivolgendosi al tabernacolo, si strinse nelle spalle e, tirando un lungo sospiro, pronunciò con voce fioca un '*Oremus*' del tutto fuori programma.

Giovedì Santo

Il Giovedì Santo, nella mia città natale, era uno dei giorni di festa più attesi dell'anno dopo quella, naturalmente, del Patrono che in settembre veniva portato in processione inghirlandato di fiori, ori e carte da diecimila.
Il Giovedì Santo era il giorno in cui sfilavano i gruppi sacri della Passione e Morte di Cristo - un avvenimento che faceva convergere verso la città masse di forestieri; perché la fama dei gruppi sacri o 'vare', come li chiamava la popolazione locale, aveva varcato i confini della provincia, fino a raggiungere i più sperduti paesi sui cocuzzoli di montagne lontane. Da lì, quel giorno, partivano intere famiglie vestite a festa per godersi la famosa processione delle vare. Queste erano gruppi di figure plastiche in cartapesta, formato naturale, raffiguranti i vari stadi degli ultimi giorni, anzi delle ultime ore, del Nazareno: dall'Ultima Cena alla Crocifissione.
In alcuni paesi siciliani la Passione di Cristo acquista toni suggestivi perché è recitata da figure umane viventi, ma le vare in cartapesta della mia città erano tutt'altra cosa, perché erano orgoglio e gloria delle maestranze cittadine, a cui esse appartenevano e che ogni anno facevano a gara l'una con l'altra a prepararle, riverniciarle e lustrarle dopo un anno di polveroso

riposo.
Quella dell'Ecce Homo in particolare, il gruppo con il Cristo seminudo, incoronato di spine che si affacciava ad una balaustra, affiancato da due centurioni di Ponzio Pilato, se non la più grande, era certamente una delle più belle. Essa era di proprietà dei grossisti di frutta e verdura che facevano affari ai mercati generali, il grande spiazzo, circondato da casotti in cemento armato, sul quale dava la mia casa paterna. Il mercoledì notte i fruttivendoli tiravano fuori l'Ecce Homo, da chissà quale magazzino, che odorava ancora di frutta marcia, e la parcheggiavano proprio sotto il mio balcone.
La mattina del Giovedì Santo, il mercato era deserto; non si vedeva che l'Ecce Homo sul suo supporto di legno a quattro gambi. Non più, quindi, la consueta folla di centinaia di piccoli commercianti indaffarati a mercanteggiare intorno a cassette di frutta e vecchie stadere, non più il viavai di carretti e motofurgoni, non più il richiamo dei venditori che si affannavano a gridare la loro merce: '*i beddi pira, i beddi pira...*', '*a racina, a racina...*' Quella mattina non si scorgeva anima viva in tutto il mercato; il Cristo incoronato di spine, in completa solitudine, pareva fosse stato lui a scacciare via tutta quella gente, proprio come il Cristo vero aveva fatto, nel tempio di Gerusalemme, due mila anni prima.
Quelle gocce di sangue che gli sgorgavano dalla fronte trafitta da spine, fresche ancora di vernice rossa, il blu chiaro della cornea degli occhi rivolti verso l'alto per il dolore, accendevano la mia fantasia di ragazzo, perché mi riportavano alle lezioni di catechismo nella sacrestia della chiesetta della Misericordia dove, da bambino,

avevo trascorso ore di felice ingenuità.
Nelle prime ore del Giovedì Santo, regnava in tutta la città un gran silenzio; solo verso le undici cominciavano a sentirsi i primi segni di vita. Erano i suoni delle bande municipali dei paesi della provincia che, a bordo di polverose corriere, giungevano, quasi simultaneamente, alla stazione degli autobus e che immediatamente si dirigevano verso le vare dislocate nei vari quartieri della città. Giunte davanti alle vare a loro assegnate, le bande suonavano inni mesti, a lutto, intrattenendo crocchi di gente fermatasi ad ascoltare. Poi vare e bande, le une dietro alle altre, si avviavano verso la piazza principale dove, disposte in cerchio, restavano in mostra al pubblico fino all'inizio della processione serale.
Il trasporto dei pesanti gruppi, ad eccezione di quello dell'Ultima Cena che, a causa della sua enorme mole, era costretto a viaggiare a bordo di un camion, veniva affidato ad un esercito di portatori, almeno otto per vara, assoldati per l'occasione, i quali avevano il sacro obbligo di indossare certi paramenti bianchi che erano simili a quelli del Ku Klux Klan.
La processione iniziava a sera inoltrata e, a mano a mano che si faceva buio, le fiaccole all'acetilene, facendo a gara con i lampioni dell'illuminazione elettrica, emanavano un odore acre che si mescolava con quello della *'calia, simenza e nucidda americana.'*
Gli amici del sindaco si godevano la festa dalle finestre del palazzo comunale ottocentesco che dava sulla piazza. Mentre nelle chiese i fedeli più ferventi - donne col velo nero in testa e uomini vestiti di grigio con cravatta nera o bottone scuro all'occhiello - andavano ad accendere un cero al Cristo morto, i bar e le

pasticcerie facevano affari, servendo orde di intere famiglie e piccoli gruppi di amici vestiti di nuovo, intenti a scambiarsi convenevoli e cortesie a base di caffè e dolciumi.
'Mangiati un cannolo, Pepè ...' 'Grazie, Cocò, prendo un caffè tanto per accettare ...' 'U carusu chi si pigghia?' ... 'Un pasticcino ...' 'Di' grazie a Don Vittorio ....' E così via.
A Pasqua, non era ancora tempo di mangiare gelati, la specialità di cui molti bar andavano fieri. Benché arroccata nel cuore brullo della Sicilia, la cittadina sorge a settecento metri sul livello del mare e, a fine marzo o ai primi di aprile, non era improbabile che spirasse un venticello gelido sotto il tiepido sole primaverile. Ad accusare le insidie di quel venticello erano i poveri portatori delle pesanti vare. E questi, approfittando della lunga sosta in piazza prima che iniziasse la processione serale, si sguinzagliavano in gruppetti andandosi ad infilare in osterie anguste e buie situate in stradine laterali, per rifocillarsi prima di partire per il lungo, lento e faticoso percorso.
Due o tre ore passate a mangiare zampe di maiale e fagioli, annaffiati da litri di buon vino, bastavano per dar carica alle batterie dei portatori che, usciti dalle osterie col naso rosso e gli occhi lucidi, affrontavano allegramente la fatica del compito che li attendeva. Giunti in piazza che era già buio, le vare erano pronte a sfilare. Tutto era a posto; la gente gremiva la piazza, le fiaccole all'acetilene ardevano ora più che mai, le bancarelle vendevano coppette di *calia, simenza e nucidda americana,* le bande suonavano marce funebri e i portatori, col saio bianco addosso, sotto il quale - per

premunirsi contro i rigori della notte - nascondevano qualche fiasco di vino, aspettavano solo il via per caricarsi sulle spalle i pesanti baldacchini sacri ed iniziare la mesta processione che, come di consueto, partiva guidata in testa dalla vara dell'Ultima Cena.
Era anche il momento in cui, a squarciagola, cominciavano i lamenti per la Passione e Morte di Cristo: lamenti di oscura impronta araba che iniziavano con urli monosillabici di solisti, ai quali rispondevano cori di *'aaaaaahhhhh .... '* Solisti e coristi erano proprio gli stessi portatori, sui quali incombeva, quindi, non solo la responsabilità del trasporto dei gruppi sacri, ma anche l'esecuzione, del tutto obbligatoria, dei lamenti in maniera più o meno intonata. Il tutto, poi, avveniva sferzato dal gelido venticello del vespero primaverile che, a mano a mano che la processione sfilava lungo il percorso prestabilito, faceva del buon vino una preziosa bevanda, senza la quale i volenterosi portatori non avrebbero resistito né al freddo né alla fatica. Ma il vino, oltre a fare buon sangue, ha l'abitudine di rendere allegrotto chi lo beve. Non sorprendeva il fatto che la processione, partita con ordine e andatura moderata, finiva quasi in corsa. L'ultima vara, quella dell'Addolorata vestita di nero, che, rispetto a tutte le altre, era leggera come un fuscello sulle spalle nerborute dei suoi portatori inebriati, rimaneva inspiegabilmente indietro ed era poi costretta a raggiungere il gruppo correndo e saltellando, quasi come un canguro, tra la folla di fedeli schierati sui marciapiedi per godersi la sfilata.
A notte inoltrata, con molto meno sobrietà di come era iniziata, la processione si concludeva nella stessa piazza

dalla quale era partita e sulla quale, ormai deserta, la Cattedrale, illuminata da una fioca luna che irradiava il solito immutabile pallore, gettava la sua ombra obliqua. Le bande, una volta discioltesi, salivano, con il loro seguito di paesani, a bordo delle corriere per tornarsene a casa; le fiaccole all'acetilene finivano di ardere; vare e portatori si dileguavano verso i loro quartieri; solo qualche cane randagio si soffermava a sgranocchiare briciole di *calia, simenza e nucidda americana* che, nella calca, qualcuno aveva lasciato cadere per terra.

Disdetta di un postino

Come uno stretto cunicolo in un alveare di abitazioni, catapecchie e grappoli di balconi affacciati gli uni agli altri quasi a toccarsi, Via Colasberna congiungeva il quartiere di Santa Lucia con quell'area che chiamavano 'Pantano', che nome più appropriato non poteva avere.
Infatti, se da un lato i bombardamenti avevano miracolosamente risparmiato Via Colasberna, a circa cento metri da essa, invece, il suolo era stato trasformato in una palude malsana a causa dei danni che le bombe avevano causato al sistema idrico nel punto in cui si trovava qualche sorgente sotterranea.
D'inverno non c'era verso che il Pantano andasse in secca perché, quando infierivano i temporali, Via Colasberna, in moderata pendenza, diventava un suo affluente, convogliandovi l'acqua piovana che scrosciava come una rapida a partire dall'irta scalinata in cui la via terminava nella sua parte più alta.
D'estate, invece, il suolo, sotto il sole cocente, si spaccava e, quantunque rimanesse argilloso in profondità, era talmente inaridito in superficie che bastava un venticello a sollevare un micidiale polverone che invadeva come una nube asfissiante ogni luogo.
Era quello il momento in cui i dirimpettai, affacciati ai balconi come tanti panni ad asciugare pigramente al

sole, erano costretti ad interrompere il giornaliero programma di pettegolezzi per trovare riparo d'emergenza asserragliandosi dentro le case dopo aver serrato le porte a vetri. Il tutto avveniva con la stessa rapidità e con lo stesso panico di chi cerca riparo da un attacco nucleare.

Tutti, in Via Colasberna, odiavano quel maledetto polverone; perché esso, oltre ad iniettare minute pagliuzze negli occhi e nelle orecchie, andava ad incipriare gli estratti di pomodoro e i fichi che, secondo una consuetudine, venivano lasciati ad essiccare al sole torrido, stesi su tele con cornici in legno, tenute sospese dai fili di ferro che congiungevano le inferriate dei balconi da un lato all'altro della stretta via - gli stessi fili sui quali, in tutti i mesi dell'anno, venivano appesi i panni ad asciugare.

Quando si scatenava quella bufera di polvere, se andava bene, era solo cipria su pomodoro e fichi; se invece andava male i telai, spinti dalla spirale di vento, catapultavano e si abbattevano, dopo aver piroettato in aria, sul selciato levigato della via.

Ma né i subitanei turbini che da un momento all'altro potevano invadere Via Colasberna, né i nuvoloni di polvere che vi giungevano dal Pantano, e neanche la possibilità di oggetti volanti a forma di telai, avevano mai intimorito il postino di turno nel quartiere che, puntualmente, in certe ore del giorno, veniva a distribuire la posta.

Questi era un uomo ferrigno, alto un metro e sessanta, dai capelli e mustacchi fitti e nerissimi che, quando imbucava la via, bussava energicamente a tutte le porte chiamando a squarciagola i nomi dei destinatari delle

lettere che portava in una pesante bisaccia di cuoio. E la spalla sinistra, sulla quale portava appesa quella bisaccia era, a causa del peso, dopo tanti anni di lavoro, qualche centimetro più bassa della destra.
Appena arrivava il postino, si apriva d'un subito ogni porta, e dai balconi calavano panierini mediante i quali gli abitanti degli appartamenti dal secondo piano in su prelevavano le missive a loro indirizzate.
Ma un giorno, dopo aver superato le prime abitazioni sulla strada, giunto all'altezza del numero 115, si abbatté, senza preavviso, una di quelle tempeste mafiose di vento e polvere che a Via Colasberna erano di casa, facendo volare verso il quartiere di Santa Lucia quei pochi lenzuoli che, stesi sui fili, asciugavano al sole. Ma non volarono per aria solo lenzuoli, con essi anche quei pochi telai pieni zeppi di conserva di pomodoro semiliquida. Uno di questi andò ad atterrare, con impressionante precisione, sul malcapitato postino, proprio mentre questi, spalancata la bocca, si accingeva a chiamare il nome dell'inquilino Mastrosimone.
'Mastrooooo...', ebbe solo tempo di dire, quando cinque chili circa di conserva rossa gli piombarono addosso con tale forza da farlo barcollare. In quello stesso istante egli lasciò cadere il nutrito carniere di lettere e stampe e, imprecando come un arabo ferito, cercò di scrollarsi di dosso quell'immonda pastella che gli imbrattava la divisa di panno grigioverde e alla quale si era attaccata come vischio.
La sensazionale notizia dell'accaduto percorse a velocità supersonica tutta la via e, sorvolando la ripida scalinata, giunse fino al quartiere di Santa Lucia da dove partì una delegazione di ragazzi coi pantaloni alla

zuava che, interrotta la partita a *'briccica'* , venne a verificare di persona.
La signora Concetta, moglie del carrettiere che abitava in uno stanzone a pianterreno al numero 116, fu la prima a soccorrere lo sventurato. Fattolo accomodare su una sedia di corda contro il muretto della casa, gli diede un bicchiere d'acqua - perché altro non avrebbe potuto offrirgli - per farlo riavere dallo shock. Poi, sfilatagli la giacca della divisa, si diede a pulirla con uno straccio inzuppato d'acqua.
Intanto si era formato tutt'intorno un crocchio composto, per la maggior parte, dai vicini delle abitazioni a pianterreno; quelli che alloggiavano ai piani superiori non si erano scomodati, tanto potevano godersi la scena dall'alto dei loro balconi.
I sorrisetti sornioni dei ragazzi, soppressi con una mano alla bocca, facevano contrasto con l'espressione compunta dei più adulti.
Frattanto Totuccio, figlio minore della signora Concetta, si premurava a raccogliere alla meno peggio le lettere e le cartacce affrancate che si erano sparse per terra uscendo dal carniere che il postino, nel momento di panico, aveva lasciato cadere. E l'aveva fatto cadere, non tanto perché fosse troppo pesante quel giorno, ma probabilmente perché gli era venuto più comodo imprecare a mani vuote.
Dopo un po' la cerchia degli astanti si diradò. Rimasero ad accudire al postino solo la signora Concetta e Donna Carmela, la vedova che abitava al secondo piano, proprietaria dell'intero stabile al numero 115 e... del fatidico telaio con estratto di pomodoro, autore principale del dramma.

Donna Carmela non trovava parole per scusarsi con il colpito per quanto gli era occorso e il postino, ora del tutto rasserenato, continuava a dire che quelle erano cose che potevano capitare a tutti e che non era colpa della signora.
Intanto Michelino, di sette anni, ultimogenito di Donna Carmela, aggrappato con una mano alla gonna della madre, col suo vestitino a bretelle, camicetta ben stirata e capelli con la riga, tenuti a bada da una forcina, lo fissava con occhi increduli. Nell'altra mano teneva un oggetto che incuriosì il postino, tanto che questi riacquistò la sua consueta giovialità, come se nulla gli fosse accaduto.
L'oggetto della sua curiosità era una pistoletta ad acqua con canna in alluminio argentato e pompetta di gomma, uno di quei primissimi esemplari appena apparsi sul mercato dei giocattoli ai primi degli anni cinquanta, che facevano gola a tanti ragazzi ma che non tutti avevano la fortuna di possedere.
Il postino, un po' per accattivarsi le simpatie di Donna Carmela, nel dubbio atroce che le salaci imprecazioni uscitegli poco prima di bocca le fossero giunte all'orecchio, un po' per rompere il ghiaccio col bambino che lo guardava timido, e un po' anche per aver modo di toccare quell'assoluta novità che Michelino teneva in mano, cominciò con una domanda. 'Come ti chiami? 'Michelino'- rispose fioco il bambino stringendosi ancora di più alla mamma. 'Sai - replicò il postino - io ho un figlio della tua età; mi ha parlato tanto delle pistolette ad acqua e vuole per forza che gliene compri una. Mi fai vedere la tua?'

Michelino, un po' geloso della sua pistoletta, gliela porse. Il postino la girò e la rigirò tra le mani cercando, con esagerata curiosità, di portarsi al livello del bambino.
'Come funziona?'- chiese, reggendo la pistoletta dalla parte della pompetta e con la canna rivolta verso il proprio viso. 'Così' - fece Michelino, premendo con due dita la pompetta.
Partì, dalla cannuccia, uno schizzo d'acqua che, diritto e preciso, andò ad imbucare una delle narici del postino.
Questi sobbalzò con gli occhi sbarrati e il viso rosso come pomodoro maturo.
'Porc....' - fece, stringendo i denti dalla rabbia e, lasciata cadere la pistoletta, con un braccio accennò a dare uno schiaffo al bambino sotto lo sguardo inorridito di Donna Carmela, ma, pensatoci un istante, cambiò idea e, afferrata la bisaccia con le lettere, se la caricò sulla spalla e si allontanò scuotendo violentemente il capo in un turbine di imprecazioni soppresse finché non scomparve dietro l'angolo della strada.
'Matruzza, matruzza santissima ' - fece costernata Donna Carmela, portandosi le mani ai capelli.

Il violino

C*ustode del cimitero in preda allo shock, ricoverato d'urgenza allo psichiatrico.* Questo il titolo di uno strano fatto di cronaca, successo in un piccolo paese della Sicilia centrale, che, secondo certe voci a cui era difficile non prestar fede, sarebbe stato pubblicato dalla stampa locale intorno al 1950. Non ebbi mai modo, allora, di verificare se l'articolo fosse veramente uscito, né di appurare che il fatto in sé fosse realmente successo. Ad ogni buon conto, l'accaduto deve essere andato pressappoco così.

All'ospizio dei poveri, l'ex casermone fascista dalla facciata ingiallita sul polveroso stradone che portava al campo sportivo, era morto un povero vecchio che non aveva né amici, né parenti e neanche un'anima viva che gli fosse stato vicino nelle ultime ore, negli ultimi istanti della sua miserabile vita. Molti dei poveri dell'ospizio morivano così; nessuno sapeva chi fossero o da dove venissero. Erano là come se ci fossero sempre stati, o come se non fossero mai esistiti. Morendo, come eredità lasciavano soltanto una dentiera incrostata, un paio di scarpe bucate e squinternate e un vestito di colore irriconoscibile avuto chissà da quale

ignoto benefattore.
Il povero vecchio, che era passato certamente a miglior vita e protagonista dell'accaduto, era proprio uno di questi. Come di solito accadeva in simili casi, era il Comune che, con un titanico sforzo di magnanimità, si accollava l'onere della sepoltura in un lotto senza croci, né fiori, né lapidi, di cui, dopo il primo acquazzone, scompariva ogni segno, come se sottoterra ci fosse un tubero di patata; con la differenza che tutti si aspettano che il tubero germogli e poi vi ritornano per raccoglierne il frutto, mentre del cumulo di ossa di un povero tutti si dimenticano.
E per la sepoltura il Comune si preoccupava anche di procurare una cassa da morto di quelle più economiche, in legno grezzo, quattro tavole messe insieme senza vernice, senza ottoni e ornamenti.
Il nostro vecchio, morto verso il vespero di una tiepida giornata di dicembre, aspettava che i becchini lo venissero a prendere, quei becchini che, a quel tempo, trasportavano le casse in carri funebri tirati da cavalli, dei quali, però, esistevano due tipi: quello dalle pareti in vetro e gli angioletti dorati agli angoli per i servizi di lusso a pagamento riservati a cittadini di prima classe, e quello più semplice e spartano, che assomigliava a un grosso contenitore per il trasporto della carne, che serviva per i cittadini di seconda e terza classe, come i vecchi dell'ospizio.
I becchini di turno, quella sera, erano introvabili; un impiegato del Comune era andato perfino a cercarli alle loro case, ma le rispettive mogli gli avevano detto che, forse, avrebbe potuto trovarli 'Da Totò', la taverna dove andavano spesso a farsi un bicchiere. Infatti

l'impiegato li trovò proprio lì; anche se sul numero di bicchieri che si erano fatti non potè proprio giurarci. Uffando e imprecando per il compito che, lì per lì, gli veniva chiesto di assolvere, proprio nel momento in cui speravano di potersi rilassare dopo una giornata di lavoro, i due dovettero fare buon viso a cattivo gioco e, barcollando, salirono sul carro e via verso l'ospizio dei poveri dove, ad attenderli, era quell' ennesimo cadavere. Vi arrivarono in un baleno. Il morto, già nella cassa, era in uno stanzone freddo e buio. L'operazione avvenne senza tante cerimonie: posto il coperchio sulla cassa, alla quale venne assicurato secondo le prescrizioni, infilarono il carico nel carro richiudendone lo portellone posteriore. Poi, frustando i cavalli perché andassero spediti, partirono alla volta del cimitero. Frattanto si era fatto buio e un po' per il fatto di essere allegrotti e un po' perché, a ragion veduta, quell'incarico inaspettato li aveva infastiditi a morte e se ne volevano sbrigare presto, i becchini fecero trottare i cavalli. Viaggiando a quell'andatura sulla strada in discesa, piena di buche e sassi, che menava al cimitero, lo sballottamento del carro fu tale che la cassa, col povero vecchio dentro, fuoruscita dal carro, fu scaraventata in una delle cunette laterali lungo la strada. Giunti al cimitero i becchini si accorsero, malgrado fossero ancora sotto l'influenza di Bacco, di aver perso il carico e dovettero, pertanto, rifare l'ultimo pezzo di strada all'indietro per ripescarlo. Infatti, nel punto dove, a conti fatti, era probabile che l'avessero perso, trovarono per terra la cassa che, a causa dell'urto, si era aperta seminando il contenuto. Qualche metro più in là, in una specie di nicchia naturale formata dalla cunetta e

un cespuglio di erbaccia che gli faceva da tetto, trovarono un vecchio che, stranamente, aveva a fianco un violino. Era un povero barbone che durante il giorno, suonando quello strumento, aveva accattato qualche lira per procurarsi da bere e dimenticare di essere nato. Poi, venuta la sera, era andato a coricarsi proprio lì, accovacciato in quella cunetta riparata dal cespuglio, dove avrebbe passato la notte sognando, forse, di suonare nell'Orchestra Sinfonica, oppure pregando che il buon Dio lo chiamasse a sé durante il sonno.
Per i becchini non c'era alcun dubbio: quello era il cadavere, solo che ora aveva accanto uno strumento musicale. Senza cercare di spiegarsi in qualche modo la misteriosa presenza di quell'oggetto, rimisero nella cassa cadavere e violino, vi adagiarono sopra il coperchio, infilarono il tutto nel carro e, facendo ancora una volta trottare i cavalli, giunsero finalmente al cimitero. Ad attenderli era il custode che, insonnolito e in pigiama, aprì loro la porta della camera mortuaria adiacente alla sua abitazione. I becchini adagiarono la cassa su un baldacchino e, senza tanti convenevoli, risaliti sul carro, se ne ripartirono al trotto. Il custode, serrata la porta della camera mortuaria, rientrò in casa, tornando a crogiolarsi al calduccio del letto. Intanto il povero barbone, sfumato l'effetto sonnifero del vino, si destò e, scoprendo di trovarsi in quella macabra situazione, saltò fuori della cassa, dopo aver dato una botta al coperchio. Poi corse alla porta, ma, trovatala chiusa a chiave, non si lasciò prendere dal panico: anziché strillare, afferrò il violino e si mise a suonare come non aveva mai fatto in vita sua. 'Qualcuno - pensò - prima o poi dovrà sentirmi.' Lo stridore di quei

suoni, rompendo il funereo silenzio della notte, svegliò di soprassalto il custode che dormiva nella stanza a fianco. Questi, con gli occhi fuori dalle orbite, i capelli irti dallo spavento e la bava alla bocca, non ebbe neanche la forza di gridare per chiedere aiuto. Si accasciò sul letto, tremante e battendo i denti. Lo trovarono in quello stato pietoso la mattina dopo, quando, alla luce del sole, l'intricata matassa del cadavere, del barbone e del violino fu dipanata con molta ilarità. Il solo incapace di divertirsi al lato comico dell'accaduto era stato il povero custode che, invece, dovette essere ricoverato d'urgenza all'ospedale in preda a severo shock.

Cavalcata Storica

Chi farà il Conte Ruggero quest'anno? In tutti i circoli del paese, non si parlava d'altro. Alle attrazioni turistiche del ridente paese dell'Ennese, dal marcato carattere normanno, chiamato anche "Città dei mosaici", grazie alla vicinanza di una splendida villa romana del III secolo d.C., si aggiungeva ora un eccezionale avvenimento: la Cavalcata Storica. Chiamata anche "Palio dei Normanni", la Cavalcata, organizzata ogni due anni a ferragosto, era una spettacolare messa in scena della liberazione della cittadina dall'assedio saraceno, ad opera di Ruggero il Normanno. Cominciando con un lungo corteo di fanti, guerrieri, cavalieri, damigelle, cortigiani e prigionieri saraceni, il grande avvenimento raggiungeva il suo momento centrale con la cerimonia simbolica, nella signorile piazza antistante al Duomo del paese, della consegna delle chiavi della città a Ruggero liberatore, seguita da giochi e gare al campo sportivo. Dall'anno in cui era iniziata, la Cavalcata aveva avuto un successo dopo l'altro, ma pochi, dico pochi, conoscevano le pene, le notti insonni degli organizzatori incaricati del reclutamento di tanti attori improvvisati, centinaia di uomini, di ragazzi e anche di belle ragazze che, sostenendo la parte delle damigelle d'onore, conferissero una certa grazia alla veduta d'assieme della sfilata. Senza di loro, infatti, l'avvenimento non sarebbe stato altro che una carnevalata di costumi sbilenchi, lance, scudi e spade in parata. Individuare la persona adatta che sostenesse con dovuta dignità la parte del Conte Ruggero era, naturalmente, il compito più arduo che incombeva sul comitato organizzatore. Il presidente della Pro-Loco del paese, come al solito, si scervellava, discutendo con il segretario comunale, cercando di stabilire chi potesse essere il giovane aitante più adatto a fare la parte del Conte. Ogni due anni era lo stesso dilemma: scegliere fra i giovani del paese quello che facesse al caso, per non fare brutta figura agli occhi di migliaia di turisti e forestieri che, puntualmente, sarebbero venuti a guardarsi la festa. Bisognava scegliere, e scegliere bene, il che non era impresa di poco conto. Perché uomini e giovani di tutte le età e condizioni, disposti, dietro modesto compenso, ad indossare pesanti corazze, maglie metalliche e spadoni e sfilare per le vie del paese, erano facilmente reperibili; colui, invece, che avrebbe sostenuto la parte del Conte, personaggio chiave della Cavalcata, doveva rispondere a requisiti ben precisi. Questi avrebbe dovuto essere giovane, più bello che brutto, alto, di robusta costituzione fisica, capace di cavalcare e, possibilmente, di famiglia nota e ben accetta a tutti. In paese di giovani aitanti, belli, alti, forti e che sapevano andare a cavallo ce n'erano molti, ma non tutti avevano l'innato talento di appartenere ai casati più rispettati.

'Per amor di Dio...', diceva il segretario comunale, mentre si sorbiva l'espresso appoggiandosi col gomito

al banco del bar in piazza. 'Non facciamo sciocchezze, scegliamo la persona giusta, sennò chi li sente quelli? Ci sarebbe quel ragazzo... come si chiama...?'
'Michele', completò con rassicurante competenza il presidente della Pro-Loco.
'Sì - continuò il segretario - il figlio di quel muratore che era emigrato in Germania e poi, l'avete visto, è ritornato col macchinone lungo cinque metri. In verità, il ragazzo si presterebbe... ma se lo prendiamo chi li sente gli altri?'
Anche nel salone di Ciccio il barbiere, la questione del Conte Ruggero era il tema di animate discussioni. E tutte le volte che c'era qualcosa di serio da discutere nel salone di Ciccio, non mancava mai il tabaccaio di due porte appresso, il quale, tutte le sante mattine, andava a farsi radere la fitta e nerissima barba. Questi era un tipo col quale c'era poco da scherzare. Alto, sì e no, un metro e quarantacinque, era il terrore dei ragazzini del paese. Guai ad infastidirlo o fargli perdere tempo, perché usciva fuori del banco come un fulmine, li prendeva per un braccio e 'ora ve ne andate a fare casino altrove,' diceva nella maniera più categorica che non ammetteva repliche. Sprofondato in una delle poltrone del salone il tabaccaio era, quella mattina, come del resto tutte le mattine, tranne il lunedì, giorno di chiusura dei saloni, sotto le esperte cure di Ciccio che, con un pennello inzuppato di schiuma bianchissima e densa, gli insaponava il viso. Ma prima ancora di iniziare la rituale insaponata, a causa della bassissima statura del suo assiduo cliente, il servizievole Ciccio aveva dovuto, come era assolutamente necessario che facesse ogni volta,

pompare la poltrona girevole fino a portarla alla massima altezza, altrimenti avrebbe dovuto piegarsi in due per fargli la barba.
Ciccio gli pennellava il viso con movimenti lenti, passando e ripassando sul viso fino a coprirlo con montagne di schiuma, tanto che non si scorgevano più né occhi né bocca: insomma assomigliava proprio alla testa di un pupazzo di neve dalla quale fa breccia solo un naso di carne. Quando Ciccio procedeva in maniera così lenta, era segno che c'era aria di accese discussioni, ma aspettava che fosse il cliente a dare il "la." Il tabaccaio non tardò a parlare. 'Se il Conte Ruggero è buono a farlo quell'imbecille del figlio del farmacista, allora posso farlo pure io' - disse con autorità facendo schizzare schiuma di sapone da tutte le parti per il repentino movimento delle labbra.
'Sì, così facciamo la cavalcata dei nani,' sbottò Ciccio senza pensarci due volte.
'Tu non mi rompere...' rintuzzò il tabaccaio con un viso inviperito, anche se ancora nascosto da una coltre di schiumone bianco. A queste parole Ciccio, resosi conto di averla sparata grossa, specialmente con un tipo focoso come il tabaccaio, si mise, in preda ad un palese imbarazzo, a fischiettare accelerando il ritmo dei suoi movimenti. Poi, aggrottando la fronte, come se volesse far capire che, tutto sommato, della questione del Conte Ruggero lui se n'infischiava, passò a canticchiare il motivo da lui prediletto: la canzone del Piave.
'Il Piave mormoròòòòò...'
Ma non ebbe modo di passare al secondo verso che il tabaccaio incalzò completando a rima: 'Ciccino fammi

'a barbaaa...zzùn-zzùn.'
Seguì un coro di risate da parte di tutti gli altri clienti in attesa. Ciccio ammutolì. Capì che per pettegolare, come avrebbe voluto, sulla questione del Conte Ruggero, aveva scelto il momento sbagliato e l'interlocutore più inopportuno. Dopo che fu sbarbato, il tabaccaio se ne uscì, con quel suo incedere mafioso, come se di ritorno da una battaglia vittoriosa. Andò ad infilarsi nel bar di fronte, dove, religiosamente, con quell'aria fresca che gli sferzava le guance ben rasate, si sentiva come rinato e in piena forma per farsi il solito caffè. Al bar trovò i proprietari, i due fratelli noti in tutto il paese quali provetti chitarristi, che, come erano soliti fare tutte le mattine, nei momenti di scarsa affluenza di pubblico, passavano il tempo a suonare interminabili blues accompagnati da un loro nipote il quale, strusciando con la mano un foglio di carta velina contro il piano di legno di una sedia, simulava la batteria. Era un trio affiatato che, quando era intento ad interpretare motivi di Gershwin e di Louis Armstrong, non c'era verso che interrompesse la musica per servire i clienti che entravano, soprattutto se erano amici, e quindi di casa, come il tabaccaio. E questi, sbarbato di fresco com'era, e rinvigorito dal successo ottenuto poco prima nel salone di Ciccio, avrebbe forse voluto continuare a fare il gradasso con chiunque avesse incontrato al bar dei due fratelli. Ma, lasciandosi travolgere dalle melodie che uscivano dalle due buone chitarre, si sentì come sgonfiato e, appoggiato il gomito destro sul banco frigorifero, ascoltò paziente, tambureggiando a tempo di musica con le dita della mano sinistra. Uno dei due fratelli,

quello che suonava standosene sempre seduto alla cassa, lo fissò col sangue negli occhi. Espertissimo conoscitore degli spartiti, andava in bestia perfino col fratello, quando questi, che suonava benissimo ma ad orecchio, si azzardava a suonare una nota fuori posto, figurarsi, poi, se ad aggiungersi agli strumenti erano le indesiderate improvvisazioni dell'amico tabaccaio!
E poiché questi non accennava a smetterla con quel "tan-taran-tan" al quale provava sempre più gusto, montando su tutte le furie, smise bruscamente di suonare e rivoltosi al tabaccaio con aria minacciosa, gli fece: 'Scccciiii..., ma che ca..., non senti che stai accompagnando fuori tempo?'
'Come siamo suscettibili, questa mattina - replicò sconvolto il tabaccaio - questa faccenda del Conte Ruggero vi ha dato alla testa a tutti!'
'Ma che Conte Ruggero e Conte Ruggero del cavolo - fece minaccioso l'amico chitarrista - anche se dovessero dare a te la parte, me ne sbatterei proprio!'
Ferito nel suo "io" e sconcertato, il tabaccaio se ne uscì con la coda tra le gambe. Non salutò neanche. Mentre richiudeva la vetrata del bar lo sentirono canticchiare sottovoce: 'Il Piave mormoròòòò...'

Stanze in famiglia

Tonio, il ragazzo con qualche anno in più di un ragazzo, era appena rimpatriato dall'America e ritornato a vivere nel suo paese natio, una grossa borgata arrampicata sulle Madonie, bruciata dal sole d'estate e sommersa di neve d'inverno.
L'avevo conosciuto una mattina d'autunno nella città ai piedi dell'Etna dove, come me, era calato dal suo paese per iscriversi all'università.
Ero in compagnia di Stefano, un ragazzo di un paese a quindici chilometri dal mio, col quale avevo appena fatto amicizia, e Tonio capitò a fianco a noi nel mezzo della folla di studenti che facevano, per così dire, la fila davanti al minuscolo sportello della segreteria a Città degli Studi.
Dietro di esso il segretario, una mezzacartuccia pelata coi baffi e occhialuta, si affannava, imprecando, a prendere in consegna le carte bollate degli studenti che, bagnate dal sudore delle mani, giungevano a destinazione come carta straccia.
'Cosei coesì no' succedino ne' Iunatid Steits' - fece Tonio col suo accento americano.
Di statura bassa, piuttosto rotondo, con gli occhiali dai vetri di spessore doppio, Tonio portava un vestito grigio e, ai piedi, un paio di scarpe nere lucide. Le scarpe lucide e lustrate all'inverosimile - capii dopo -

erano parte integrante della sua personalità, anche se non seppi mai se portarle così lucide fosse un'abitudine che si era portato con sé da Brooklin, o un fatto di buona costumanza familiare, dato che il padre faceva il calzolaio.
Col suo viso paffuto, capelli castani per i quali era sempre pronto un pettine nel taschino della giacca, la bocca piccola, che quando si apriva per parlare si stringeva a forma di ventosa, Tonio suscitò subito in noi giovani goliardi lo stesso interesse che si ha per lo zio dell'America, solo che lui, invece di tanti dollari verdi, aveva poche lire color viola.
Scrutare fra i suoi oggetti personali, per scoprire chissà quali stranezze avesse mai portato da un mondo così diverso dal nostro, fu la prima cosa che, con cauta curiosità, io e Stefano facemmo quando, insieme a lui, prendemmo alloggio presso una famiglia che abitava in un vicolo buio di periferia.
'Ciei posto per noi trei?' - aveva chiesto Tonio alla padrona di casa dal dente dorato che era venuta ad aprirci la porta. Forse perché aveva dimenticato l'italiano o perché, comunque, non era di natura loquace, Tonio non si perdeva mai in frasi inutili e poi adorava prendere lui le iniziative e affrontava personalmente, a nome anche degli altri, qualsiasi situazione, senza aspettare che gli altri gli firmassero un contratto di rappresentanza. E noi, insieme a lui, ci sentivamo protetti, perché lui, con quell'aspetto di persona seria, vestito grigio, scarpe nere sempre lucide e occhiali dalle stanghette d'oro, rappresentava una garanzia. E poi, signori miei, veniva dall'America, un fatto che, nella Sicilia degli anni cinquanta, era del tutto

rispettabile.
Furono giorni indimenticabili quelli trascorsi con Tonio e Stefano nella pensione della signora dal dente dorato, nell'appiccicaticcia periferia della città universitaria. Avevamo due stanze; una, più piccola, se l'era subito accaparrata Tonio senza tanti preamboli. Quando la padrona di casa ce la mostrò, lui vi posò subito la valigia di fibra marrone e *'io dommo qui'* , disse, senza preoccuparsi se ci fossero ancora altre stanze o dove io e Stefano avremmo dormito.
Si diede il caso che la padrona aveva un'altra stanza che era un po' più grande e con due letti che ci andò a genio; e così, grazie a quell'innato talento organizzativo che sprizzava dai pori efficienti del nostro amico siculo-americano, fummo presto tutt'e tre sistemati; lui nella sua stanzetta tutta per sé, e noi due in un camerone con due letti senza spalliera, un solo comodino e un comò a due cassetti.
Comodino e comò erano di legno dolce, Tonio, invece, aveva tutto il suo mobilio in legno massiccio.
C'era, in mezzo all'attigua sala da pranzo dalle pareti disadorne, un gran tavolo col piano di marmo. La padrona di casa diceva che un tavolo col piano di marmo era più igienico di un tavolo col piano di legno, un'affermazione che aveva suggerito alla bocca di Tonio una smorfia di dissenso. Invece per Stefano, il ricciolino dalle sembianze adoniche e un profilo alla Paul Newman, tutto andava bene: in quella casa si trovò a suo agio sin dal momento che vi mise piede.
Il sorriso che sapeva adagiare sulla bocca che si apriva quasi sempre per mettere in mostra due filari di denti bianchissimi e perfetti, conferiva a Stefano un certo

fascino che ammaliava le donne. A questo fascino non si sottrasse Olivia, la figlia nubile della padrona di casa che, dall'istante che lo conobbe, si diede subito a chiamarlo *'u dutturedddu'*, malgrado Stefano fosse soltanto una matricola della facoltà di Agraria. La cosa fece silenziosamente imbestialire Tonio che, invece, era iscritto in Medicina e che, tra l'altro, come ci informò, aveva perfino fatto il *'meil ners'* in America e che pertanto era l'unico in quella casa ad avere diritto al titolo di *'dutturi'*. Olivia era una ragazza alta, magra, dalla pelle olivastra e grandi occhi a mandorla. Le labbra, simili a due ciliege mature, le bordavano una bocca grande e sensuale. Malgrado avesse le spalle un po' curve e il torace smilzo ed incassato che aveva negato ai seni un normale sviluppo, aveva, col suo bacino avvenente di donna, una carica di sensualità tale da suscitare turbe erotiche nei giovani della nostra età.
L'unico a non accusare schiavitù all'influsso tentacolare di Olivia fu Stefano, la cui natura di ragazzo tutto d'un pezzo gli vietava di compromettersi con dichiarazioni di sottomissione.
'A me di Olivia non mi frega proprio niente', mi disse una sera prima di addormentarsi dopo una lunga disquisizione sul gentil sesso, della quale Olivia era stata, se non l'argomento principale, almeno un ovvio pretesto. Il modo in cui mi disse quella frase mi fece pensare che la sincerità non era di certo il suo forte. Non ammettere di sentire un certo languorino per Olivia era come dire 'io sono un uomo forte,' come se certi istinti primordiali dovessero essere solo dei deboli. Eppure eravamo due giovani di quasi la stessa età, io diciannove, lui vent'anni, tutt'e due di carne, ossa e

sangue nelle vene, tutt'e due con la stessa istintiva esuberanza di giovani. Mi irritava quell'aria di sufficienza e, al tempo stesso, di immobilismo che Stefano mostrava per le donne. Dietro il suo apparente disinteresse per Olivia si celava la calcolata certezza che, prima o poi, la ragazza non avrebbe resistito al suo fascino - un fatto che lo poneva su di un piedistallo dal quale si sentiva in diritto di peccare di ipocrisia.
Tonio, dal canto suo, considerava la cosa roba da ragazzi. *'Ci sono donnei più belle di Oliviar'*, diceva, anche se la sera, a cena, la presenza della ragazza indaffarata a servirci frittata e formaggio, gli causava un indefinibile imbarazzo e una lieve rugiada di sudore gli spuntava timidamente sulle sopracciglia tanto da inumidirgli gli occhiali troppo aderenti. E lui, togliendoseli per asciugarli, diceva: *'buonar this frittata signeorina'*, oppure, arrossendo come un gambero imperiale, sbottava a ridere, apparentemente senza ragione, fino a farsi venire le lacrime.
A cena, unico pasto compreso nella pensione, si mangiava quasi sempre frittata e formaggio. Le uova potevano essere più o meno di giornata, qualche ingrediente poteva variare, il formaggio poteva essere fresco o piccante, mozzarella o provolone, ma il menu era quasi sempre lo stesso: frittata e formaggio. Per quello che pagavamo non potevamo pretendere banchetti luculliani.
D'altra parte, figli di un ferroviere, di un barbiere e di un calzolaio quali eravamo io, Stefano e Tonio, non potevamo permetterci niente di meglio.
Persino Tonio, di americano non aveva che l'accento e le scarpe lucide, e poi i pochi soldi che aveva li

spendeva con parsimonia. Lui dell'America parlava, quando ne aveva voglia, solo per riferirsi ad usi e costumi della gente, ma non ci disse mai quanto tempo vi fosse rimasto o perché fosse rimpatriato in Sicilia e noi, per non peccare di indelicatezza, non glielo chiedemmo mai. Su di noi, però, aveva un vantaggio, quello di essere ricapitato in una città della Sicilia degli anni cinquanta che accoglieva a braccia aperte tutto ciò che sapeva di americano. E questa ventata di americanofilia proveniva dalla base americana della NATO che era stata recentemente installata a pochi chilometri dalla città.
Per le strade era tutto un viavai di marines, camionette della M.P. e cadillac, proprio come in un film in tecnicolor della Twentieth Century Fox. L'economia cominciava a fiorire all'insegna del chewing gum, e il numero di snack bar e juke box si moltiplicava. Erano anche i tempi di Paul Anka, dei Platters e del *rock 'n' roll* e l'unica stravaganza di molti giovani che balbettavano qualche parola di inglese era, tutt'al più, quella di esibirsi nelle feste in famiglia domenicali imitando Elvis Presley.
Un giorno venne a trovare la nostra padrona di casa Mauro, un suo amico di famiglia. Mauro portava un vestito grigio chiaro, un gabardin di qualità: allora, una specie di lusso riservato alla gente più su. Quello di Mauro, però, era di seconda mano, come quei tanti vestiti usati che i ricchi parenti spedivano dall'America, dentro pacchi che contenevano tavolette di cioccolata e sigarette Lucky Strike.
Con la giacca lunga a un bottone, falde strette, e spalle quadrate, grazie all'imbottitura delle spalline, Mauro

aveva l'aspetto di un Victor Mature in miniatura. In testa portava una folta chioma con l'immancabile ciuffo 'tirabaci' che gli scendeva sulla fronte. I pantaloni, con le risvolte, gli scendevano larghi su un paio di scarpe numero quarantaquattro, troppo grandi per i suoi piedi, tanto che le punte si erano arcuate assumendo la forma di due gondole. A vederlo conciato in quel modo, era lecito pensare ad uno strano incrocio tra un divo del rock 'n' roll e Charlie Chaplin. Inutile dire che Mauro era venuto a trovare la padrona di casa perché gli avevano detto che uno dei pensionanti era mezzo americano. La signora offrì all'ospite, che non vedeva da anni, caffè e biscotti; e Olivia si preoccupò che *'u dutturreddu'* non fosse trascurato. Frattanto, dalla stanza di Tonio, che era attigua al soggiorno, proveniva qualche rumore; era segno che erano le quattro del pomeriggio: l'ora in cui egli si svegliava con la stessa religiosa puntualità con la quale, due ore prima, era andato a coricarsi.
Spuntò nel soggiorno indossando il pigiama di cotone felpato a strisce blu che portava sempre in casa, perché il vestito grigio lo indossava solo quando usciva. Giunse in tempo per una tazza di caffè che era ancora caldo. Mauro non gli fu presentato immediatamente, perché in quel momento la signora e Olivia si erano assentate in cucina; per cui Tonio ebbe il tempo di scrutare con la coda dell'occhio il nuovo arrivato. A vederlo masticare chewing gum, anziché venirgli in mente l'America, deve averlo assalito una certa stizza, a giudicare dall'espressione contratta che gli si lesse in viso.
'Le presento Mauro, figlio di una mia cara amica,' fece,

semplice, la signora.
'Piacerei', rispose secco Tonio, porgendo la mano destra dalle dita carnose e corte tra le quali emergeva un vistoso anello d'oro.
La conversazione continuò nella stanza di Tonio e questi sottopose Mauro ad un interrogatorio di terzo grado, inteso più ad appurare la conoscenza dell'inglese del suo interlocutore che a concedere a quest'ultimo la possibilità di soddisfare la propria curiosità.
Mauro, da perfetto americanofilo, fumava Pall Mall comprate di contrabbando da un venditore che aveva aperto banco in un angolo del centro, sotto gli occhi accondiscendenti di un vigile urbano che dirigeva il traffico.
Messasi in bocca una di quelle lunghe Pall Mall, Mauro frugò invano in tutte le tasche per trovare i fiammiferi. In quel momento, Tonio, che non fumava, tirò fuori la sua Zip per farlo accendere. A vedere quell'accendino nuovo fiammante che odorava ancora di esercito americano, Mauro sembrò impazzire di gioia e, chiedendo a Tonio di farglielo vedere, disse: *'Ghiv mi si, ghiv mi si.'* L'evidente stortura sintattica della frase inglese proferita da Mauro fece irrompere Tonio, che fino a quel momento aveva mantenuto un certo tono di serietà, in una di quelle frenetiche risate che solo lui sapeva fare.
Nei giorni che seguirono, tutte le volte che ripensava a Mauro, ripeteva a se stesso *'ghiv mi si, ghiv mi si,'* e rideva come un forsennato.
Tonio provava un gusto demoniaco a mettere in difficoltà, o quanto meno prendere in giro, chiunque

sapesse parlare inglese, o si desse arie di saperlo. Aveva preso di mira, con sorniona sistematicità, il personale locale che prestava servizio in ambienti inglesi o americani. Secondo lui erano persone che non avevano diritto ai loro posti perché non sapevano parlare inglese e fu inutile cercare di fargli capire che non tutti, come lui, avevano avuto la fortuna di vivere in America.

Una mattina si alzò con la precisa intenzione di recarsi in una delle tante scuole di lingua inglese e insistette che io gli facessi compagnia. Non ci fu verso di fargli cambiare idea: vi si presentò col pretesto che cercava lavoro. A concedergli un colloquio fu il segretario, un siciliano lustrato che indossava una camicia di seta bianca a mezze maniche con due tasche al petto, punte del colletto abbottonate e cravatta stretta a strisce blu e rosse fissata alla camicia da un fermacravatta.

Mancò poco che quel colloquio non si concludesse in rissa. A Tonio l'impettito segretario aveva chiesto di leggere un paragrafo da un libro in inglese e, ad un certo punto, lo aveva interrotto bruscamente, contestandogli la pronuncia di alcune parole. La cosa non andò a genio a Tonio, il quale reagì con una sventagliata di epiteti in americano stretto che lasciarono di stucco il suo esaminatore. Questi, per non dichiarare sconfitta, rintuzzò alla meno peggio, trasformando l'acceso battibecco in una questione dialettica. Poi, per dimostrare che lui aveva ragione e Tonio aveva torto, minacciò di chiamare in giudizio certi incartamenti dell'UNESCO. (Fino ad oggi, ripensandoci dopo tanti anni, non sono riuscito ancora a capire che diavolo avesse a che fare l'UNESCO con un

esame di inglese.)
Un giorno, di ritorno alla pensione dopo una missione di questo tipo che, come al solito, si era conclusa in maniera trionfale, Tonio trovò piacevoli novità.
Durante la sua assenza, quel pomeriggio, Maria, l'altra figlia della padrona di casa, che era sposata ma divisa dal marito, era venuta a far visita alla madre.
Più bassa e più scura di pelle della sorella, Maria era - come si dice di donne non belle ma interessanti - un tipo. L'unica caratteristica somatica di indiscutibile perfezione erano le labbra dai contorni accentuati e disegnati come due parentesi graffe.
Tonio, nel vederla, fissò per un lungo istante quella bocca e, arrossendo, si presentò dicendo con voce fioca: *'Tonio.'* Da quando lo conoscevo non lo avevo mai visto così turbato dalla presenza di una donna. Maria sembrava avergli dato finalmente un vero senso alla vita.
Intanto proveniva dalla cucina un odore di frittata.
'Stasera c'è una bella insalata di pomodori. Pomodori e mozzarella,' disse trionfante Olivia, portando in tavola un'insalatiera e un piatto di mozzarella tagliata a fette.
Stefano uscì dallo stanzone e si venne a sedere a tavola, senza dir nulla. Poi si decise a dare la buona sera e a presentarsi a Maria, dando un'occhiata d'intesa ad Olivia, che ricambiò accennando col capo ad un inchino e con un sorrisetto malizioso dietro il quale si nascondeva il sapore paradisiaco di mille sogni proibiti.
Anche Tonio, che era stato fino allora intento ad adocchiare Maria, capì, dietro lo spessore dei suoi occhiali, che c'era qualcosa di nuovo nell'aria. Mi diede un'occhiata di intesa come per dire: 'qui, gatta ci

cova.'
Infatti, 'gatta ci covava,' come ebbi modo, senza volerlo, di scoprire il giorno dopo.
Rincasato inaspettatamente, colsi Stefano in pigiama che, seduto sulla poltroncina, teneva in grembo la mole longilinea di Olivia che gli si era avvinghiata a girocollo, occhi chiusi, capelli sparsi, immersa, mentre lo baciava, in un mondo irreale, tutto suo.
La trappola tesa da *'u duttureddu'*, dissi a me stesso, era finalmente scattata, e di quella trappola Olivia era stata il pezzo di cacio e Stefano il topo, un topo tutto d'un pezzo!
Il vivo ricordo del periodo trascorso nella pensione della signora dal dente dorato si arresta a quel pomeriggio. Sugli avvenimenti che seguirono è calata la polvere degli anni. Ricordo soltanto due ore che, qualche giorno dopo, trascorsi in compagnia di Olivia in un cinema di periferia col pretesto di vedere un film; due ore vissute con l'istintiva ingenuità dell'inevitabile che è propria di giovani, come eravamo allora, innamorati della vita. Non rividi più Stefano. Tonio lo incontrai per caso alcuni mesi dopo. Aveva perso il pesante accento americano, ma le scarpe che portava erano ancora nere e ben lustrate. Mi parlò a lungo di Maria e di come aveva fatto a conquistare quelle labbra così perfette.

L'altra dimensione

Sul vetro appannato della finestra, al quale teneva appoggiata la fronte, Cornelio scarabocchiava pigramente segni indecifrabili. Scorrendo liscio, l'indice della mano destra, guidato da una forza interiore inconscia, tracciava solchi ben definiti, che si mutavano presto in rigagnoli irregolari, dai contorni misteriosi, per fondersi poi in un'unica chiazza acquosa, attraverso la quale traspariva il mondo esterno.
E lo sguardo di Cornelio fissava, assente, il plumbeo grigiore del cielo d'inverno, i foschi contorni dell'orizzonte lontano, le sagome delle case vicine. Ora, vedeva quel mondo esterno con occhi capaci di pianto, ne percepiva i rumori con orecchie avvezze alle calunnie umane, lo avvertiva con la coscienza disincantata e stanca di chi, credendo di averlo capito, si accorge di essersi illuso. E il cuore, questo strano muscolo, che mai si era accordato con la mente, gonfio come vela al vento, lo opprimeva.
Ad un tratto quel mondo si trasformava, davanti ai suoi occhi trasognati, in un teatro sulla cui passerella vedeva sfilare, come in parata ordinata, i fantasmi del suo passato, quel passato fatto di attimi irripetibili,

implacabilmente divorati dall'eternità. Tutto avveniva in un istante, oppure erano cento, mille anni? Quello di Cornelio era un brutto sogno senza tempo né spazio. Tra i fantasmi era un folletto che, con voce sorniona, gli chiedeva: 'Allora..., eh... eh..., hai vinto il grande match con la vita?' E Cornelio, incollerito, gridava mentalmente: 'Vattene, mostriciattolo, anzi, andatevene via tutti, fantasmi siete...!'
Poi, di soprassalto, si destava con la lingua e la gola asciutte ed intorpidite come di chi avesse dormito un sonno profondo tenendo la bocca aperta. Cornelio era ormai abituato a questi sogni ad occhi aperti che faceva spesso come se fosse in stato di trance. La stessa cosa gli succedeva quando, sprofondato nella poltrona, fissava a lungo un motivo floreale del tappeto del salotto illuminato da un raggio di luce fioca che filtrava dalla finestra. E mentre lo fissava, il disegno si animava, trasformandosi in girandola che iniziava a ruotare, prima lentamente e poi più forte, sempre più forte, fino a diventare uno psicodelico vortice. E in centro al vortice si apriva un vuoto circolare il cui diametro si allargava sempre più. Era un oblò di luce celeste, come quando, fra le nere nubi dopo la tempesta, si apre un varco verso l'azzurra immensità del cielo. Ma c'era sempre qualcosa che interrompeva i vagheggiamenti di Cornelio, proprio nel momento in cui egli credeva di poter varcare la soglia di quell'altro mondo, di quell'altra dimensione negata all'uomo. Esperienze come queste non erano rare. A volte, quando si destava da questi stati di trance, aveva il dubbio che il mondo al quale faceva ritorno fosse la vera realtà, colto com'era nel conflitto tra il conscio e l'inconscio, tra il

reale e l'irreale, tra il ponderabile e l'imponderabile. Ciò nonostante erano momenti magici, così come magici sono certi passaggi, come il primo raggio di sole dell'alba tra la notte e il giorno, o il bocciolo che si apre alla luce dopo il lungo sonno invernale. Da anni la mente di Cornelio non si nutriva che di profonde riflessioni sulla vita, sull'uomo, sull'universo. Da anni non riusciva più a conciliarsi col mondo che lo circondava. Eppure quel mondo era sempre lo stesso, fatto di egoismo, di crudeltà, di idolatria, di superbia, di superficialità: segno che a cambiare era stato lui e non il mondo. Cornelio era convinto che i ricordi sono quanto di più prezioso rimanga a chi alla vita ha dato tutto e dalla quale non ha avuto nulla: quella vita che comincia a morire sin dal momento in cui nasce e che è propria dell'uomo che s'affanna a volere sempre di più, a volare sempre più in alto, per poi ritrovarsi in una cassa da morto, inerte, sotto una pesante coltre di terra, metodicamente divorato da vermi immondi. Inscrutabile mistero dell'umanità! Visti attraverso la futilità delle loro azioni gli uomini gli sembravano ora come delle marionette goffe e impotenti che, legate a fili invisibili, sono mosse e agitate senza tregua da una mano misteriosa, finché, calato il sipario e spente le luci, tutto tace: si solleva solo un vento sinistro e turbinoso che spazza via ogni cosa, anche le foglie d'autunno ingiallite, e poi, cessato il vento, regna intorno un gelido squallore di polvere e ragnatele. L'uomo – pensava Cornelio – sa quale destino lo attende, ma agisce facendo finta di non saperlo, oppure, se lo sa, deve averne una tale paura che, per reazione si sfoga, vivendo come se non dovesse morire mai. E c'è un ordine in questa aberrazione umana: la società con le sue regole, i suoi tabù e le sue maschere. Sì, maschere, – ripeteva Cornelio a se stesso – che cos'è la vita se non un gran ballo in maschera?

Quante maschere aveva visto in tutta la sua vita; ne aveva viste di bellissime e ne era rimasto incantato. Avrebbe voluto portarne una anche lui, specialmente di quelle che giurie di supermascherati premiano di tanto in tanto, ma non era riuscito mai a trovarne una che gli andasse bene, così aveva dovuto farne a meno.
A quarantotto anni compiuti gli sembrava di essere vissuto più di cent'anni, accarezzato solo dai ricordi. A volte pensava che nessuno è in grado di ricordare gli avvenimenti della propria primissima infanzia, dal momento in cui si nasce a quello in cui, di botto, si passa dalla fase incosciente a quella cosciente. Per Cornelio quel momento di transizione era stato il 10 luglio 1943, quando aveva poco meno di tre anni. Era il giorno in cui le truppe alleate erano sbarcate in Sicilia e i bombardieri americani, gettando tonnellate di bombe a tappeto, avevano fatto tremare la terra.
Con straordinaria chiarezza di particolari ricordava quel torrido pomeriggio del luglio siciliano e si rivedeva in braccio alla mamma a fianco a suo padre: tre anime in un corpo, con le teste chine; la mamma se lo stringeva al petto tenendogli la nuca con una mano, suo padre che li abbracciava tutti e due in uno spontaneo, quanto effimero, spirito di conservazione, mentre fuori era il finimondo: il boato assordante degli aerei che volavano a bassa quota, il frantumarsi di ogni vetro, il vibrare delle pareti come se fossero scosse da un terremoto. E

lui, nella sua innocenza, faceva coraggio a sua madre, balbettando: 'Coraggio mamma, non avere paura, non avere paura.'
Gli altri ricordi della guerra erano frammentari, ma non aveva mai dimenticato alcuni avvenimenti che lo avevano profondamente impressionato: lo sfollamento verso la collina del Redentore, le famiglie accampate in una cascina dalla quale si dominava tutta la città, in cui non passava giorno che non scoppiasse un incendio appiccato dalle bombe.
Periodicamente gruppi di giovanotti ed adulti validi erano costretti a recarsi al mulino in centro alla città, per procurarsi un po' di farina razionata per fare il pane. Ma spesso, se a partire erano in dieci, ne ritornavano solo otto o nove e, quindi, lo strazio indicibile dei congiunti: mogli, fratelli, sorelle, figli rimasti orfani.
A lungo andare si era capito che neanche il Redentore era luogo sicuro: di tanto in tanto qualche aereo da ricognizione puntava verso la sommità della collina e, sorvolandola a bassa quota, lasciava partire qualche raffica di mitraglia seminando un panico infernale. I suoi genitori lo avevano spedito in campagna, in una località a cinquanta chilometri, dove una sorella di suo padre, il marito e le due figlie adolescenti erano andati a rifugiarsi dai bombardamenti. Lì, Cornelio aveva trascorso svariati mesi. Molti anni dopo sua madre gli avrebbe confessato che durante quel periodo lo aveva sognato malato e piangente: un sogno che era stato come una straordinaria premonizione, perché proprio in quel rifugio di campagna Cornelio aveva contratto la malaria dalla quale sarebbe poi guarito a malapena, grazie ad enormi siringate di chinino. Ricordava come,

in quei terribili giorni, si era divertito a giocare con la guerra. Ogni qualvolta sentiva il rombo di un aereo lontano, andava ad accantucciarsi in un angolo buio dello stanzone a pianterreno e... pam – pam – pam – pam...: con il collo spezzato di una quartara in terracotta fra le gambe, simulava la contraerea. Misteri dell'innocenza! A tre anni e mezzo sapeva che gli aerei si abbattevano con la contraerea, pur non avendone mai vista una.
La malaria gli avrebbe lasciato uno strascico: l'anemia perniciosa che avrebbe minato il suo stato di salute e contro la quale avrebbe lottato per anni. Si rivedeva adolescente negli anni '40 e '50: una vita di stenti, il padre impiegato del comune, la mamma ammalata e lui uno studentello smilzo e coscienzioso, ossessionato dalla propria fragilità fisica. Ma si era preso una rivincita su quella maledetta condizione: lo sforzo titanico che a diciotto anni aveva fatto per rifarsi un fisico, raddrizzare la schiena curva, riempire di muscoli il torace incassato. Per raggiungere lo scopo si era messo a fare ginnastica a casa, maledicendo il paternalismo del medico di famiglia che per diversi anni lo aveva perfino fatto esonerare dalle lezioni di educazione fisica a scuola. 'Questo ragazzo non deve fare ginnastica – aveva detto il medico – neanche quelle poche ore a scuola.'
Ricordava il giorno in cui, dopo aver ripreso l'attività fisica, aveva partecipato ai campionati studenteschi.
'Sapete che Cornelio ha le gambe più belle della classe?' – aveva detto Angela, una sua compagna di classe, che lo aveva visto per la prima volta in calzoncini.

Quel complimento, il primo che una donna gli avesse mai fatto, gli aveva dato un senso di fiducia, dopo il lungo, lunghissimo torpore psicologico del suo "io" di ragazzo. Quello era anche stato il primo segno positivo in un'esistenza che sembrava destinata al fallimento.
Le relazioni di Cornelio con il sesso opposto non erano mai state né facili né felici. Malgrado fosse nato con una precoce carica di sessualità, più si avvicinava all'età della ragione e meno riusciva a comunicare con le donne. Il desiderio istintivo e struggente di possederle emanava da una psiche troppo complessa e profonda per conciliarsi con le frivolezze che le ragazze, anche quelle più disposte alla conquista, esigevano da lui. Avrebbe voluto essere spaccone come tanti ragazzi della sua età, ma non c'era mai stato verso che ci riuscisse in pieno. Poche volte si era lasciato influenzare da amici in qualche bricconeria, ma non era mai stato capace di sostenere la sua parte fino in fondo e, abbandonata l'impresa, tornava a racchiudersi nel suo guscio, col fardello dei suoi pensieri, con le preoccupazioni da adulto che nessuno gli aveva mai imposto di sopportare, ma di cui lui, nondimeno, sentiva tutto il peso. Dai tredici ai diciotto anni aveva fatto la vita dello studente pendolare: aveva studiato in una città vicina, vivendo a casa dei nonni materni, perché nel suo paese non c'era la scuola alla quale suo padre l'aveva voluto iscrivere pensando di fare del figlio un ingegnere. Per cinque anni aveva visto la famiglia solo al fine settimana e nei mesi estivi. Ricordava i momenti di gioia dell'arrivo in famiglia il sabato e la tristezza del rientro la domenica. Ma anche quel ritorno al focolare domestico era velato da un senso di pena: la mamma

ammalata di cuore, costretta a mangiare solo pochi cibi senza sale, giorno dopo giorno, anno dopo anno, eppure sempre con quel suo angelico sorriso, ignara, o forse troppo consapevole del suo destino.
Di sua mamma a Cornelio non rimaneva ora che una foto incorniciata e il ricordo di quel sorriso. Era morta che aveva appena quarantatre anni; a giovanissima età la febbre reumatica le aveva irreparabilmente leso il cuore. Aveva avuto quattro figli, di cui erano sopravvissuti solo due: Cornelio e suo fratello Giacomo, nato nove anni dopo di lui. Dei figli in vita Cornelio era stato il prediletto di sua mamma. 'Voglio bene a tutt'e due i miei figli' – aveva detto qualche mese prima di morire – 'ma Cornelio è il figlio del cuore.' Di quello che sua mamma sentiva per lui, Cornelio avrebbe avuto la prova finale il giorno prima che passasse all'altro mondo.
Quella mattina, a letto, al quale era costretta ormai da qualche mese, aveva seguito con occhi languidi ogni movimento del figlio mentre questi si aggiustava il pullover davanti al grande specchio del guardaroba. Attraverso lo specchio Cornelio aveva colto l'immagine riflessa di sua madre che lo fissava con tenerezza. Poi, con un gesto, costei lo aveva sollecitato ad avvicinarsi. Portatosi al capezzale, lei lo aveva tirato a sé per un braccio, senza parlare, accennando solo con dolcezza ad un sorriso, come se volesse dire: 'Lascia che ti guardi, figlio mio, per custodire la tua immagine nel viaggio che mi appresto a fare.' Ventiquattro ore dopo se n'era andata, morendo all'alba di un'afosa giornata di giugno, dopo aver chiesto di essere sorretta e portata alla finestra. La prima luce del giorno le aveva illuminato il

viso per un istante tanto da farle assumere un aspetto angelico. Guardando in alto verso l'immensità rosata dell'alba estiva, i suoi occhi si erano riempiti di luce e, in estatica conversazione con un invisibile interlocutore, aveva sussurrato: 'Papà'. Poi, si era fatta riaccompagnare alla poltrona dove si era seduta stringendo la mano al figlio. Era la fine: qualche attimo dopo si spense.

D'un tratto, a cavallo di questi pensieri, Cornelio si sentì sfiorare dal tocco felpato di una mano: era quella di sua madre, la stessa che quella mattina del giugno 1963 aveva stretto fra le sue, prima dell'addio. Non ne vedeva il corpo, solo il viso agonizzante di quegli ultimi istanti. Si sentì come senza peso, mentre un raggio di luce lo trasportava a velocità impressionante attraverso l'infinità dell'universo, dopo aver sorvolato tutte le spiagge, tutte le giungle e tutte le montagne della terra. Tutt'intorno era un silenzio mai provato: o era una sinfonia arcana di suoni vietati alle orecchie dell'uomo? Lui, senza muovere labbra, parlava, e sua madre, senza parlare, gli rispondeva.

'Mamma, so di avere atteso a lungo questo momento, eppure non ricordo nulla degli anni che seguirono la tua morte.'

E sua madre: 'Tu non ricordi, ma io so bene. Sei andato via dopo la mia dipartita; sei andato a vivere in un paese lontano. Là ti ho visto invecchiare; i capelli ti sono diventati grigi, poi bianchi. Ti ho visto peccare senza poter intervenire; ti ho sentito piangere di rimorso senza poterti abbracciare; ti ho visto commettere errori, fare scelte sbagliate, senza poterti consigliare; ho visto, senza poterti difendere, anche i torti e i soprusi che altri

ti hanno fatto, approfittando della tua bontà, facendosi beffa della tua sensibilità. Sì, sensibilità, perché, figlio mio, io ti volli dare molta sensibilità, non sapendo che ti avrebbe fatto soffrire. Ho pianto tanto per te. Qui, dove siamo noi, non abbiamo nessun potere sulle azioni degli uomini sulla terra, possiamo solo chiedere, e qualche volta ottenere, che ci raggiungano.'
'Mamma, non capisco, ero assorto nei miei pensieri, mentre guardavo attraverso la finestra il grigiore dell'autunno, l'autunno del 2004, cioè quarantuno anni dopo la tua morte, ma è come se non fosse passato un attimo da quando ti strinsi la mano prima che te ne andassi per sempre.'
'Figlio mio, tempo e spazio sono solo formule umane. L'esistenza è come un cerchio nel quale ogni punto è al tempo stesso punto di partenza e punto di arrivo. E se non c'è né un inizio né una fine, il cerchio non ha tempo."
'Ma mamma...'
'Ti spiego meglio. Ho detto cerchio per semplificare. Avrei dovuto dire una spirale continua, cioè congiunta, di cui l'esistenza umana, quella che va dalla nascita alla morte, è solo un pezzo. Allora sì che la vita umana ha un tempo, ma se la consideri non come un tratto a sé, ma come parte della spirale continua che è l'eterno, allora, come dicevo prima, il tratto non ha lunghezza: il momento della nascita è anche quello della morte e viceversa. Quindi, dieci, trentatré, cinquanta anni.., che differenza fa, sono la stessa cosa, se considerati frazione dell'eternità, capisci? Uno e mille miliardi hanno la stessa entità, se paragonati all'infinito. Quando tu pensavi a me, guardando dalla finestra, il tempo, come

lo intendi tu, si è, per così dire, fermato, o almeno così ti è sembrato. La mente dell'uomo, varcando, sia pure di poco, la soglia della dimensione vietata al genere umano, si muove senza tempo.
'Ma mamma..., perché non ricordo nulla dal 1963, sono trascorsi 25 anni,... siamo nel 2004,... aiutami a capire,... ti prego!'
Improvvisamente, il volto di sua madre svanì; non sentì più il tepore della mano che lo aveva guidato nel lungo viaggio. Si ritrovò seduto in una poltrona, lontano dalla finestra, attraverso la quale ora entrava un fascio di luce che illuminava il piano polveroso di un tavolo che gli stava accanto. Pigramente adagiato sul grembo era un giornale. Guardata la prima pagina, ne lesse la data: 10 giugno 2012.